¿TÚ TE CREES EL LEÓN?

Un texto de **Urial**
Ilustrado por **Lætitia Le Saux**

En lo más alto de la más alta de las colinas,
encaramado en su trono con su corona en la cabeza,
un león gobernaba a todo el mundo, todo el tiempo.

Se hacía llamar TODO-PODEROSO.

Cuando quería algo,
o incluso si no quería nada,
con su voz más potente gritaba:

—¡Lávenme las patas!

—¡Cepíllenme la melena!

—¡Tengo hambre!

¡Tráiganme una pierna de gacela

—¡Denme de beber!

todo
Brilla

Después, durante la digestión:

—**Estoy aburrido. ¡Diviértanme!**

—**¡Tengo frío!**
Denme su ropa.

—**¡Admírenme!**

—**¡Rásquenme el lomo!**

Sin olvidar los imperativos:

—**¡Rapidito!**
—**¡Aplíquense!**
—**¡Inútiles!**
—**¡A buena hora!**

Órdenes y más órdenes,
siempre órdenes.
Día y noche,
TODO-PODEROSO
no sabía hacer otra cosa
que dar órdenes.

Un día, la paloma, o mejor BUENA-PARA-NADA, como la llamaba TODO-PODEROSO, se harta.

Cansada de obedecer,
    desciende la colina y va a instalarse en la playa.

El león gruñó:
—¡Ya regresará,
   me necesita demasiado!

Pero las semanas pasan
y BUENA-PARA NADA no regresa.

Otro día, el borrego, o mejor dicho MONTÓN-DE-BOLITAS
como lo llamaba TODO-PODEROSO, se harta.

Cansado de obedecer,
        también se va.

El león refunfuñó:
—**Ya regresará,
va a extrañar mis rugidos.**

Pasan las semanas y MONTÓN-DE-BOLITAS no regresa.

El borrego encontró a la paloma en la playa.
Le dijo:

—¡Buenos días, voy a instalarme aquí!
¡Tráeme una tumbona!

—¿**Tú te crees el león?** —respondió la paloma.
—¡Ay! ¡No sé qué me pasó,
perdóname! —baló el borrego.

Algunos días más tarde, el perro, o mejor dicho SACO-DE-BABAS
como lo llamaba Todo-Poderoso, se harta.

Cansado de obedecer,
        se va también.

El león le gritó:

—¡Ya regresarás,
no puedes vivir sin mí!
¿Quién te va a lanzar bolas con baba?

Sin siquiera mirarlo,
el perro sigue su camino.

El perro se reunió con la paloma y el borrego.

Les anunció:
—¡Buenos días, voy a instalarme aquí!
¡Espero que mi casa esté lista!

—¿**Tú te crees el león?** —le respondió el borrego.
—Eh… no… perdón. No, para nada… —farfulló el perro.

Pasan las semanas
y SACO-DE-BABAS no regresa.

Llega el día en que la mula, o mejor dicho BORRICA
como la llama TODO-PODEROSO, se harta.

Cansada de obedecer,
se va, sin mirar atrás.

El león masculló:
—¡Ya regresarán!
¡Esos inútiles no saben hacer nada solos!

Pero, en el fondo, TODO-PODEROSO empieza a inquietarse.

MONTÓN-DE-BOLITAS
ya no está para tejerle
sus vestiduras reales.

BUENA-PARA-NADA
ya no está
para abanicarlo
durante su siesta real.

SACO-DE-BABAS
ya no está
para prepararle
su banquete real.

BORRICA
ya no está
para pasearle
su trasero real...

"¡Peor para ellos, los remplazaré!", se dijo.

La mula se reunió con la paloma, el borrego y el perro.

—¡Buenos días, me instalaré aquí! ¡Tráiganme algo de pastar!
—**¿Tú te crees el león?** —le replicó el perro.
—¡Epa, es verdad, me confundí! Perdón... —se disculpó la mula.

Las semanas pasan y, naturalmente,
BORRICA no regresa.

Libres por fin, lejos del dominio del león,
la paloma, el borrego, el perro y la mula
saborean juntos su nueva vida, dulce y apacible.

Durante ese tiempo, ᴛᴏᴅᴏ-ᴘᴏᴅᴇʀᴏꜱᴏ fue testigo de la partida de sus mejores elemento

POBRE-MANCHA (la vaca),

CABEZA-DE-HUEVO (la gallina),

PICO-APESTOSO (el avestruz),
NARIZ-DE-COLUMPIO (el elefante),
COLA-GARAPIÑADA (el mono),

SUCIO-SILBATO (la serpiente),

GRAN-ESPÁRRAGO (la jirafa)
BULTO-LLORÓN (el cocodrilo),
CALZÓN-RAYADO (la cebra).

Pero BUENA-PARA-NADA, MONTÓN-DE-BOLITAS,
SACO-DE-BABAS y BORRICA no volvieron jamás.

POBRE-MANCHA, CABEZA-DE-HUEVO y PICO-APESTOSO tampoco.

Lo mismo que NARIZ-DE-COLUMPIO, COLA-GARAPIÑADA y SUCIO-SILBATO.

Ni GRAN-ESPÁRRAGO, ni BULTO-LLORÓN, ni CALZÓN-RAYADO.

Nadie regresó.
TODO-PODEROSO estaba solo.
Rugió, con todas sus fuerzas:

—¡REGRESEN *AQUÍ*! ¡REGRESEN AQUÍ ENSEGUIDA!

La colina estaba desierta, no había nadie para obedecer sus órdenes.

Entonces decidió descender de su pedestal.

En la playa, el león encuentra a sus súbditos descansando cómodamente.
Sonríe y piensa en voz alta:

"¡Esta playa es perfecta para mi trono, mi tina,
y para que todos estos tontos se ocupen de mí!"

Se acerca a ellos y les dice:

—¡EH, USTEDES!
¿No me oyen?
Vayan a buscar mi trono,
prepárenme el almuerzo,
instalen una sombrilla
y úntenme el cuerpo con crema bronceadora.
¡Dense prisa!

Los animales, sorprendidos, se miran un instante
y exclaman después al unísono:

—¿Tú te crees el león?

Después de dudar un segundo,
Todo-Poderoso
levanta los ojos al cielo y exclama:

—Pues sí, seguro,
véanme:

la melena,
los rugidos...

¡Claramente pueden
ver que soy el león!

Y el borrego le responde:
—No, tú no eres el león.
El león está en lo alto de la colina.

¡Puedes regresar ahí, si quieres!